les jeux de VERSAILLES

Déjà parus dans la collection Récré-Musées :

Les jeux de l'Égypte

Les jeux du Moyen Age

Remerciements à :
Chantal, pour ses fruits, ses feuilles et ses légumes,
la chalcographie du Louvre pour les gravures
l'agence photographique de la RMN
et Madame de Maintenon pour sa gentillesse

49, rue Étienne-Marcel – 75001 Paris

les jeux de VERSAILLES

Textes et jeux de
Philippe Dupuis

mis en images par
Jack Garnier

Sommaire

Un peu d'histoire

Jeux

Pour chaque jeu tu trouveras en haut de la page 1, 2 ou 3 soleils, ils t'indiquent le niveau de difficulté.

Apollon
l'Isle Roiale
Latone
le Labirinthe
Versailles
Orangerie
theatre d'Eau
Reservoir
R. de la Surintendance
R. de l'Abrevoir
grand Comun
Avant-court
R. des Recollets
Orleans
R. des bons enfans
petite Place

VERSAILLES NE S'EST PAS FAIT EN UN JOUR

En 1589, Henri IV séjourne à Versailles sur l'invitation de son ami Albert de Gondi, duc de Retz et maréchal de France. Henri IV aime à chasser sur ce domaine, et il y vient parfois accompagné du jeune Dauphin, le futur Louis XIII. C'est ainsi que, devenu roi, Louis XIII y reviendra souvent chasser en compagnie de quelques proches. En 1623, le roi fait construire un pavillon, puis quelques années plus tard, de 1631 à 1634, il agrandit cette petite demeure pour en faire le « petit château de cartes ». Sa mort l'empêchera d'entreprendre d'autres travaux.

Au début de son règne, Louis XIV vient peu à Versailles, puis, à partir de 1661, il entreprend de grands travaux. Le Nôtre trace de nouveaux jardins (les jardins à la française) et Le Vau élève une Orangerie ainsi qu'une Ménagerie. Puis, Versailles étant devenu un lieu de fêtes grandioses, le roi décide de l'agrandir. Il fait appel à Louis Le Vau et accepte ses plans qui permettent de conserver le « château de cartes » en l'entourant sur trois côtés par un bâtiment en pierre. Le 6 mai 1682, Louis XIV décide de transférer à Versailles le siège de la cour et du gouvernement. En 1710, la construction de la chapelle marque la fin du règne de Louis XIV.

Sous le règne de Louis XV, Versailles connaît une intense activité artistique, avec entre autre la création du Petit Trianon. Louis XVI quant à lui privilégie un retour vers l'antique qui se manifeste surtout dans les décors. A la fin de l'Ancien Régime, le château est la résidence royale la plus somptueuse d'Europe avant que la Révolution ne disperse toutes les collections et que la majorité du mobilier ne soit vendu aux enchères. C'est avec la proclamation de l'Empire que le château est restauré par décision de Napoléon qui, comme ses successeurs Louis XVIII et Charles X ne pourra pas vraiment s'y installer.

Louis-Philippe, en 1830, pour sauver Versailles d'une destruction certaine décide de le transformer en un musée dédié « à toutes les gloires de France ». Ce sont ses fabuleuses collections, constamment enrichies, qui en font encore aujourd'hui le plus important musée d'Histoire du monde.

LOUIS LE VAU (1612-1670) a déjà construit plusieurs châteaux dont celui de Fouquet à Vaux-le-Vicomte lorsque le Roi le nomme, en 1661, «Premier architecte du Roi». Il commence la construction de Versailles en 1666 et meurt quatre ans plus tard, laissant le chantier à un de ses élèves.

ANDRÉ LE NÔTRE (1613-1700). Il est le créateur du «jardin à la française». Après le château de Vaux, il inaugure les grandes perspectives de Versailles, avec terrasses, parterres et bosquets. Il est surtout le grand maître des eaux, celles des bassins et des canaux, des fontaines et des jets. Contrôleur général des Bâtiments du Roi depuis 1658, Le Nôtre travaille pour de nombreux parcs en France et à l'étranger.

CHARLES LE BRUN (1619-1690). Peintre et décorateur, Le Brun a déjà travaillé avec Le Vau au château de Vaux et à la décoration de l'hôtel Lambert. En 1663, Colbert le nomme directeur de la Manufacture des Gobelins, un an plus tard il devient premier peintre du Roi puis responsable de l'aménagement de Versailles. On lui doit le dessin des fontaines, le décor de la galerie des Glaces et de ses meubles en argent massif ainsi que l'escalier des Ambassadeurs.

JULES HARDOUIN-MANSART OU MANSART (1646-1708). Nommé «Premier architecte du Roi» en 1681, on lui doit la galerie des Glaces, le Grand Commun (les cuisines), les Grandes et les Petites Écuries, l'Orangerie. Il termine le Trianon en 1687 et meurt avant l'achèvement de la chapelle. On doit également à Mansart la place Vendôme et l'église des Invalides.

Autour du Roi-Soleil

À la mort de Mazarin Louis XIV doit diriger les affaires de l'État, il a vingt-trois ans. Le Roi s'entoure d'hommes de talent et met en place des fonctions importantes pour suivre les affaires : Le Chancelier qui s'occupe de la justice, Le Contrôleur général des finances ainsi que quatre ministères : Affaires étrangères, Marine, Guerre, Maison du roi. Avec le Roi-Soleil, le rayonnement de la France dans le monde devient très important. C'est l'époque des conquêtes commerciales et des colonies mais aussi du développement des sciences et des arts.

Très proches du Soleil

MAZARIN (1602-1661), succède à Richelieu à la tête du Conseil auprès de Louis XIII, puis auprès de la reine Anne d'Autriche pendant la Régence. Bien que détesté par les princes du royaume, c'est lui qui prépare le jeune Louis XIV à régner. Jean-Baptiste **COLBERT** (1619-1683), homme de confiance de Mazarin, devient après la chute de Fouquet (surintendant des Finances) le personnage le plus puissant dans l'entourage du roi. Surintendant des Bâtiments, contrôleur des Finances puis secrétaire d'État à la Maison du Roi, il développe les arsenaux, crée les manufactures royales et les compagnies maritimes.

Ils font la guerre

François Michel Le Tellier marquis de **LOUVOIS** (1639-1691), devient secrétaire à la Guerre en remplacement de son père Michel Le Tellier nommé Chancelier. Grand maître des armées après la mort de Turenne, il recrute et entretient une armée de trois cent mille hommes équipés de fusils et de baïonnettes. Sébastien Le Prestre de **VAUBAN** (1633-1707), Commissaire des fortifications en 1678, construit ports et canaux, s'illustre sur les champs de batailles mais surtout entoure les villes stratégiques du royaume d'une ceinture de fortifications.

Des hommes à la mer

Pendant que Colbert développe la marine royale et les ports, les marins et corsaires s'illustrent sur toutes les mers du monde. Jean **BART** (1650-1702), d'abord au service des Hollandais, devient corsaire puis officier de la marine royale. Il remporte des victoires sur les Anglais et les Hollandais. René **DUGUAY-TROUIN** (1673-1736), corsaire, s'empare de Rio de Janeiro, il sera nommé Lieutenant général.

Ils tiennent la plume ou le pinceau

Louis XIV aime les gens de théâtre et les musiciens, il s'entoure d'écrivains, de peintres et de sculpteurs. Les artistes sont pensionnés à travers la création des Académies.

Jean-Baptiste **LULLY** (1632-1687), directeur de l'Académie royale de musique, règne en homme d'affaires avisé sur la musique de scène et l'opéra. Il s'associe aux auteurs de théâtre pour écrire des ballets.

Dès 1665, il existe à Paris sept troupes de théâtre dont celle de Jean-Baptiste Poquelin dit **MOLIÈRE** (1622-1673) qui joue ses propres pièces mais aussi celles de ses contemporains, dont Jean **RACINE** (1639-1699).

Pendant ce temps, Marie de Rabutin-Chantal **MADAME DE SÉVIGNÉ**, Jean de **LA FONTAINE** (1621-1695), Claude Henri de Rouvroy comte de **SAINT-SIMON** (1760-1825), Jean de **LA BRUYÈRE** (1645-1696) décrivent, chacun dans leur style, ce qu'ils observent à la cour de Versailles.

Côté cour, Hyacinthe **RIGAUD** (1659-1743) fait le portrait de Louis XIV en costume royal, Antoine **COYPEL** (1661-1722) peint la voûte de la chapelle et François **DESPORTES** (1661-1743) décore la Ménagerie.

Côté jardins, Antoine **COYSEVOX** (1640-1720), ses neveux Nicolas et Guillaume **COUSTOU** (1658-1733 ; 1677-1746) ou Pierre **PUGET** (1620-1694) agrémentent les allées et les bassins de leurs sculptures.

Côté Cour

Il y a **11 erreurs** dans la reproduction de la gravure de la page précédente. A toi de les trouver.

Rois et reines

Les couples célèbres.

Elles viennent d'Espagne, d'Autriche ou de Pologne et sont devenues reines de France.

Mets sur chaque carte la couleur ♣ ♥ ♦ ♠ du roi correspondant.

Le Potager du Roi

Louis XIV était un gourmet, il voulait à sa table fruits et légumes frais tout au long de l'année. Son jardinier, La Quintinie fut nommé Directeur des jardins fruitiers et potagers des maisons royales.
A Versailles le potager occupait vingt-cinq arpents (environ 9 hectares).

Remets dans la grille les noms des fruits et des légumes.

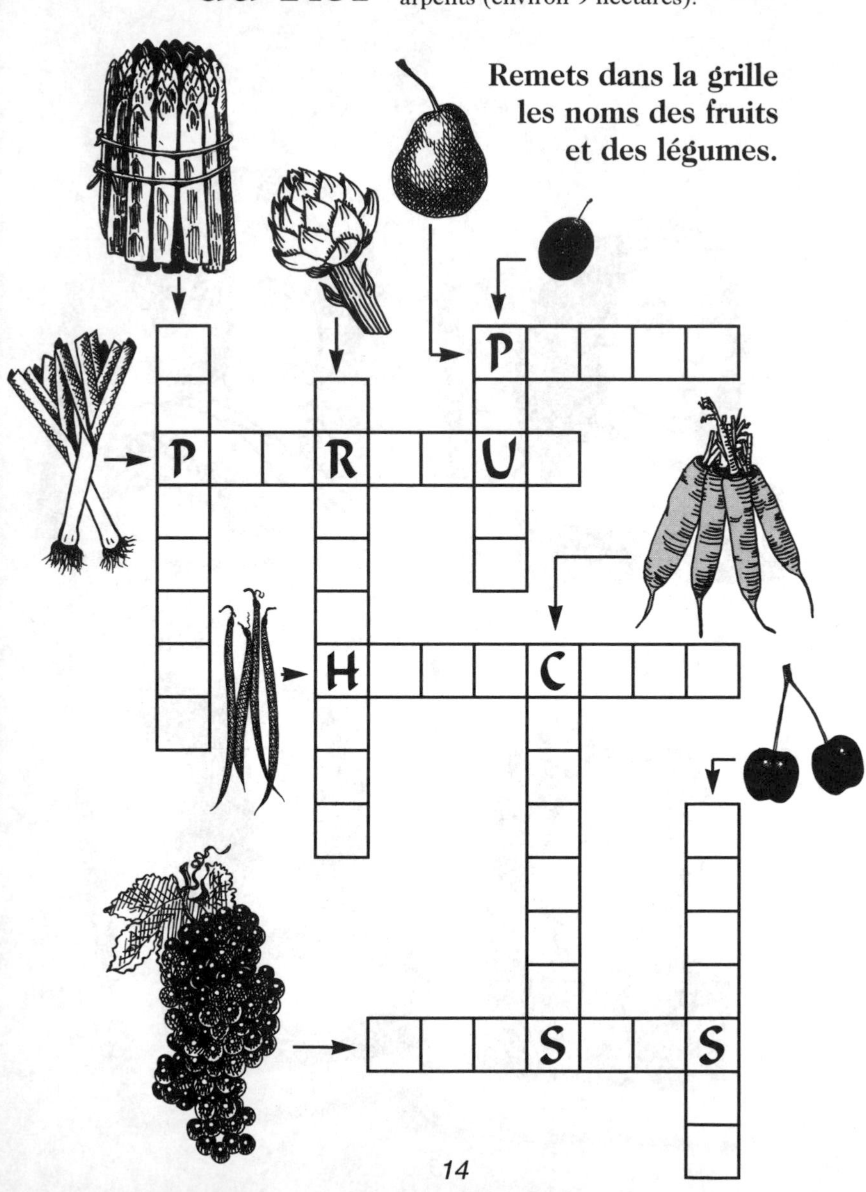

Les cris de la ferme

De la Cour à la basse-cour.

La reine Marie-Antoinette aimait se rendre avec ses amis au **Hameau**. L'ensemble construit près du **Petit Trianon** abritait une ferme avec ses animaux.

La basse-cour est une véritable cacophonie, mais que font les animaux quand ils crient ? A toi de relier les bonnes propositions.

Paon ❐	❐ **Glougloute**
Poule ❐	❐ **Glousse**
Poussin ❐	❐ **Nasille**
Dindon ❐	❐ **Piaille**
Canard ❐	❐ **Roucoule**
Pigeon ❐	❐ **Criaille**

Dans les Allées…

A

B

C

D

et dans les Bois

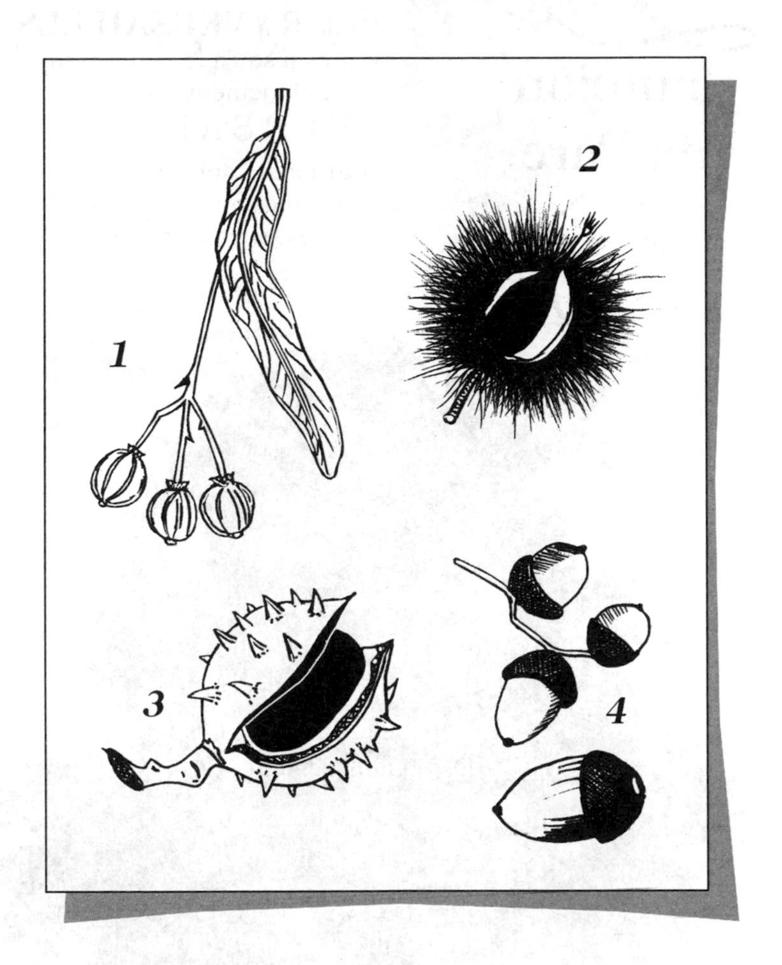

Retrouve pour chaque arbre, sa feuille et son fruit :

Châtaignier ☐ ☐ **Marronnier** ☐ ☐

Chêne ☐ ☐ **Tilleul** ☐ ☐

Le lampion du Parc

Trouve tous les mots du lampion.

Va de **R** à **VERSAILLES** puis jusqu'à **S** en utilisant uniquement les lettres

V E R S A I L L E S.

Pour t'aider suis les définitions ci-dessous, ajoute ou supprime les lettres indiquées.

1• Note.

2• Va ventre à terre.

3• A dû abuser de la bouteille.

4• Rangé sur le rayon.

5• Sonne pour prévenir.

6• Chassés dans les fourrés du parc.

7• Comme les queues des petits cochons.

8• Iras te coucher très tard.

9• Préparerais la monture.

10• Fruits sauvages des montagnes.

11• Sur la table du roi et sur la tienne.

12• Pour changer de monture.

13• Rayon intense.

14• Malpropre.

15• Bien fatigué.

16• Le meilleur de tous.

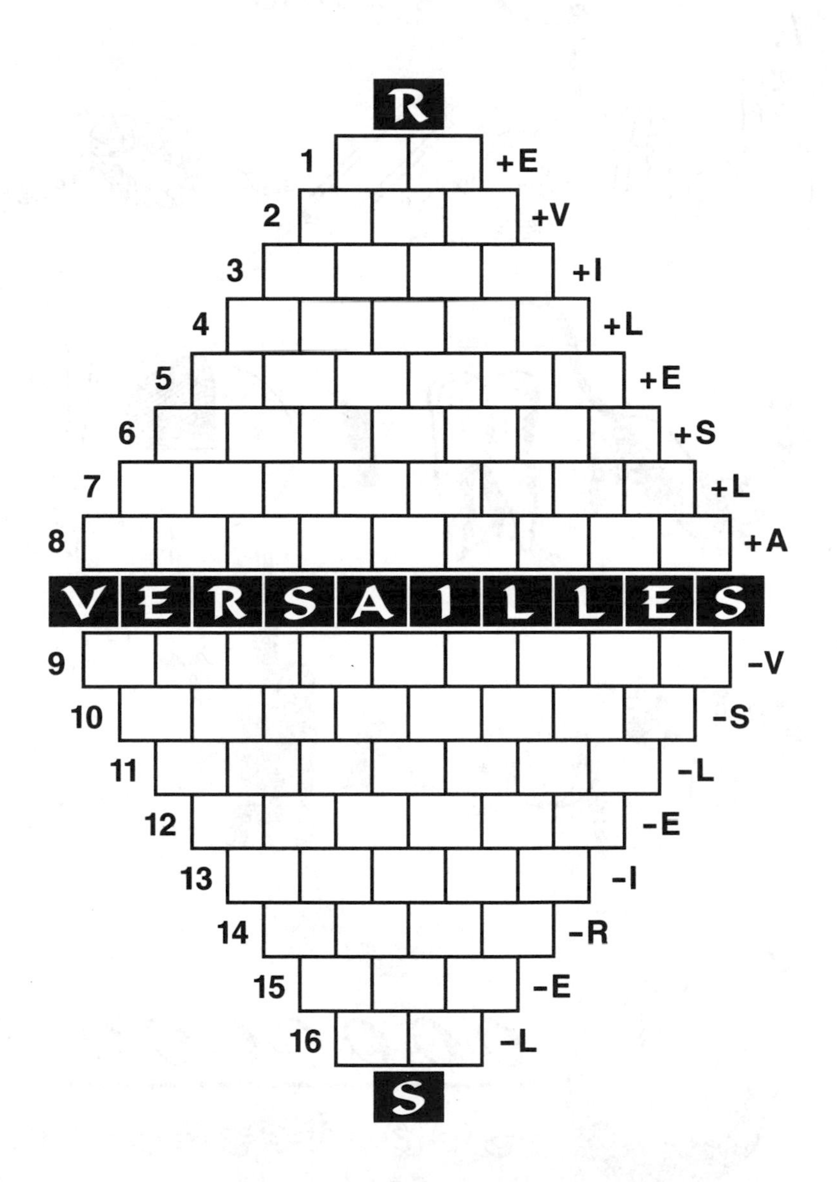

R
1
+E
2
+V
3
+I
4
+L
5
+E
6
+S
7
+L
8
+A
VERSAILLES
9
–V
10
–S
11
–L
12
–E
13
–I
14
–R
15
–E
16
–L
S

Rébus

1.

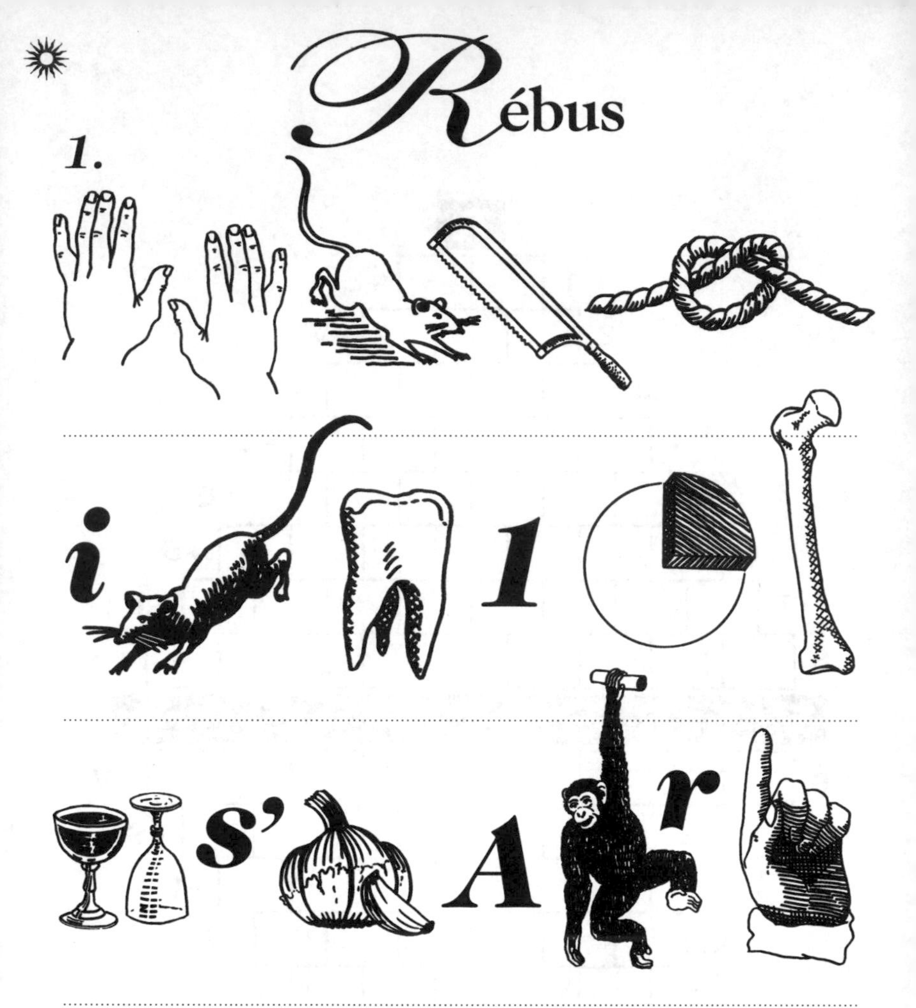

2.

Triste Sire

L'artiste, en dessinant, a renversé sa bouteille d'encre. Tu peux l'aider à refaire son dessin **en noircissant les parties marquées d'un point noir.**

vrai faux

❐ ❐ 1. *Louis XIV est mort à 97 ans.*

❐ ❐ 2. *Henri IV est le grand-père de Louis XIV.*

❐ ❐ 3. *Le Petit Trianon a été construit pour Molière.*

❐ ❐ 4. *Louis XV est le fils de Louis XIV.*

❐ ❐ 5. *Des gondoles de Venise navigaient sur le Grand Canal.*

❐ ❐ 6. *Louis XIV a épousé en secret Madame de Maintenon.*

❐ ❐ 7. *La Bruyère était garde forestier à Versailles.*

❐ ❐ 8. *Louis XIV mangeait avec ses doigts.*

❐ ❐ 9. *Le Nôtre était maître pâtissier à la Cour.*

❐ ❐ 10. *Louis XIV mettait des chaussures à hauts talons.*

❐ ❐ 11. *Il n'y a pas eu de guerre pendant le règne du Roi-Soleil.*

❐ ❐ 12. *Louis XIV jouait très bien de la guitare.*

La pièce manquante

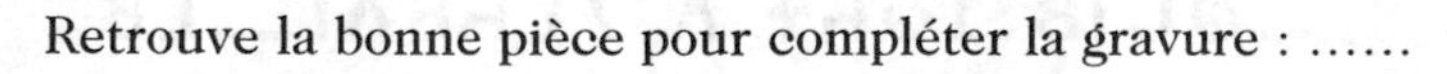

Retrouve la bonne pièce pour compléter la gravure : ……

Le message…

Louis XIV envoie un message au capitaine des mousquetaires pour une mission secrète. Il fait parvenir à d'Artagnan ses ordres, mais le document semble illisible.

1• Découvre le message du Roi.

Pour t'aider tu as l'alphabet ci-dessous mais il te faudra le compléter à partir du texte déjà traduit.

LOUIS DORT A VERSAILLES

2• Déchiffre la réponse de d'Artagnan.

D'Artagnan a reçu le message royal, aussitôt il envoie sa réponse, mais pour cela il utilise un autre code secret.

Pour écrire
son message au roi
le mousquetaire
a utilisé la méthode
de l'escargot.

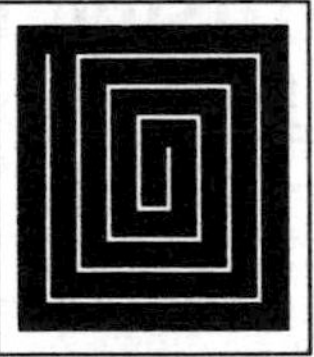

Autour du Roi

Architectes

MANSART

LE VAU

LE CORBUSIER

Jardiniers

LA QUINTINIE

COFFE

LE NÔTRE

Peintres

BRAQUE

LE BRUN

RIGAUD

Écrivains

MME DE SÉVIGNÉ

PROUST

MOLIÈRE

Musiciens

DELALANDE

BOULEZ

LULLY

Sculpteurs

CÉSAR

COYSEVOX

PUGET

Dans chaque discipline, un intrus s'est faufilé près de Louis XIV.
Trouve le et raye son nom.

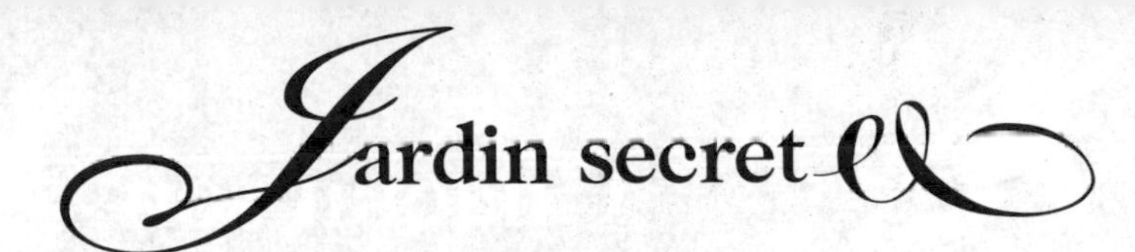

Imaginé par Charles Perrault et dessiné par Le Nôtre, le labyrinthe était un bosquet orné de fontaines décorées sur le thème des fables d'Esope. **Trouve le chemin de la sortie**, pour cela tu dois passer une fois devant chaque fontaine (les points noirs) sans jamais repasser au même endroit.

Chacun son Style

A **Trouve et inscrits dans la grille de la page suivante, les noms de six écrivains du XVIIe siècle, tous proches de la Cour à Versailles.** Pour t'aider, suis les définitions et utilise les lettres déjà en place.

1 • *Sur scène son malade était imaginaire et son bourgeois gentilhomme.*

2 • *Moins drôle que le précédent, au théâtre Bérénice fut son premier succès.*

3 • *Racontait des histoires avec des corbeaux, des renards, des cigales et des fourmis.*

4 • *Notait et rapportait tout ce qui se passait à la Cour.*

5 • *Il nous a laissé Barbe-Bleue, des histoires de fées et le Petit Poucet.*

6 • *Marquise riche et belle, elle écrivait beaucoup, surtout à sa fille.*

B Aujourd'hui, ces écrivains sont toujours lus ou mis en scène, mais chacun est connu pour son genre littéraire.

Donne pour chaque livre le numéro de l'écrivain qui correspond le mieux au genre littéraire indiqué.

A
1
2
MEMOIRES
3
TRAGEDIES
6
FABLES
4
LETTRES
COMEDIES
5
CONTES
B
comédies
Fables
TRAGEDIES
LETTRES
MEMOIRES
CONTES

Dans un Fauteuil

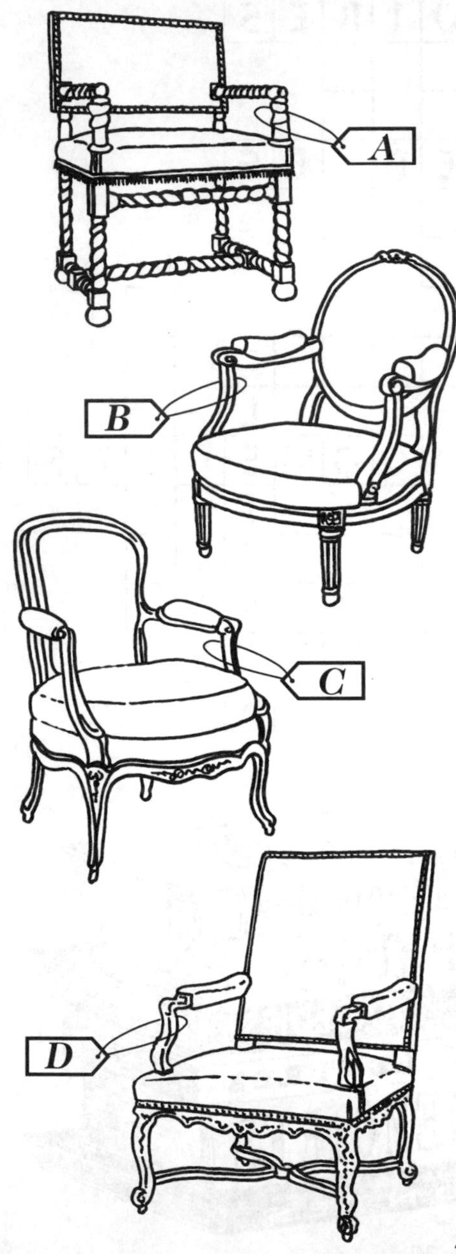

A Versailles et dans les châteaux royaux, chaque époque, chaque roi, a imposé un style de mobilier :

Peux-tu reconnaître le style de chaque fauteuil ?

Louis XIII ☐

Louis XIV ☐

Louis XV ☐

Louis XVI ☐

Pour t'aider :

- Le style Louis XIII est le plus massif, c'est l'époque du bois tourné.
- Plus majestueux et sculpté, le mobilier de style Louis XIV reste encore raide.
- Sous le règne de Louis XV de nouvelles formes apparaissent, élégantes et arrondies, et les pieds des meubles sont souvent galbés.
- Avec le style Louis XVI les pieds deviennent droits et cannelés, les dossiers prennent parfois la forme de médaillon.

La galerie des Glaces

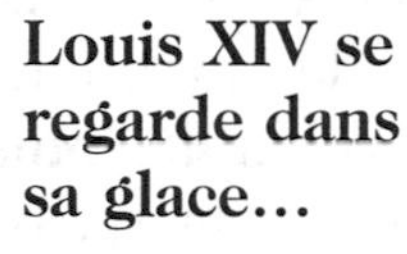

Louis XIV se regarde dans sa glace…

…mais quel est le bon reflet ?

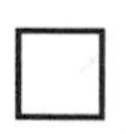

Diane, Blonde, Zette,

...Florissant, Merluzine, Nonette, Pompée et les autres. Jolis noms pour les chiens du roi. En 1702 Louis XIV commande au peintre FRANÇOIS DESPORTES les portraits de ses chiens pour décorer Versailles puis le château de Marly.

Muscade, Hermine...

En observant le dessin ci-contre retrouve les chiens de la page de gauche.

A		B		C		D		E	

PROMENADE LITTÉRAIRE

Le jeune Louis, fils aîné du Roi et de Marie-Thérèse dit à sa sœur Marie Anne : — Allons nous promener, nous irons jusqu'à la fontaine du parc. Dépêche-toi car on a beau suer nous n'avançons pas vite. Qu'est-ce que tu as Marie Anne tu as l'air fatigué, tu bayes aux corneilles. — Oh non ! j'étais molle hier mais aujourd'hui ça va bien mieux. — Fais attention où tu marches, tu vas accrocher ton pied dans les racines de la bruyère. Bon nous sommes arrivés, si tu as soif fait comme moi, bois l'eau, ça fait du bien. Maintenant il faut vite rentrer car ce soir nous allons avec père aux fêtes sur le Grand Canal.

Dans le texte ci-dessus se cachent 8 écrivains du XVIIe siècle. A toi de les découvrir.

Si Versailles m'était compté

Aide Colbert à retrouver l'année de l'installation de Louis XIV à Versailles

Dans chaque case tu dois inscrire un nombre, ce nombre est égal à ***la somme des nombres des 2 cases placées juste en dessous***. A l'aide d'additions et de soustractions tu peux remplir toute la grille.

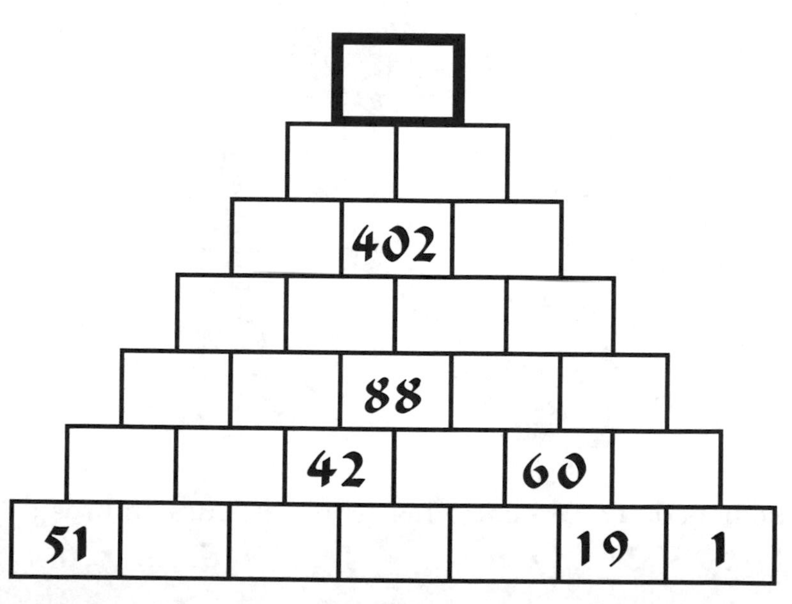

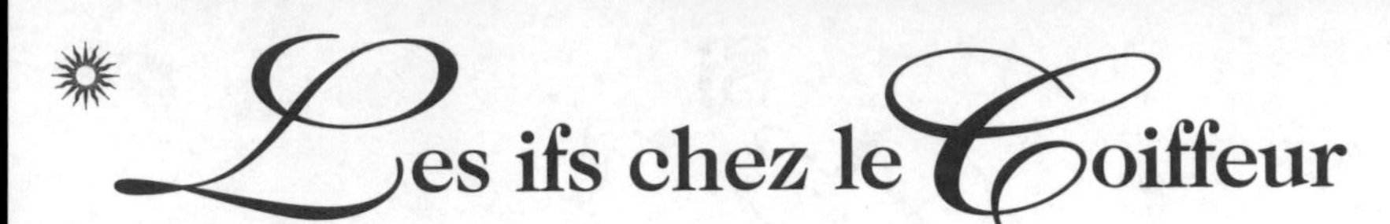

Les ifs chez le Coiffeur

L'Art topiaire consiste à former les arbres et les arbustes de façon très variée. Les jardiniers de Versailles y excellent.

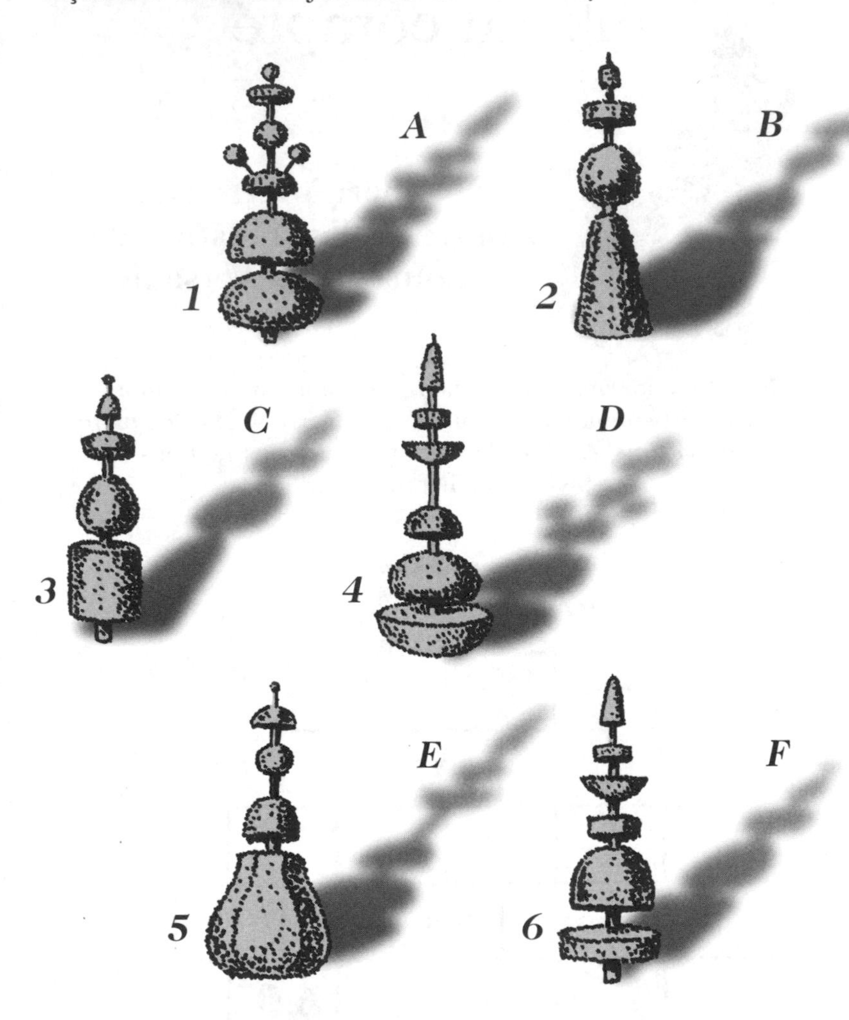

Remets de l'ordre entre les arbres et leurs ombres :

***1*...... • *2*...... • *3*...... • *4*...... • *5*...... • *6*......**

Pic & pic...

...et anagrammes

L'anagramme est un jeu sur les mots. Cela consiste à mélanger toutes les lettres d'un mot pour en faire un ou plusieurs autres.

Trouve les anagrammes des mots suivants,
elles sont toutes en rapport avec Versailles et Louis XIV.
Les définitions et la première lettre doivent t'aider.

RICANE
R _ _ _ _ _
Auteur d'Andromaque

AMNISTIONS
S _ _ _ _ - _ _ _ _ _
Homme de mémoire

CROASSER
C _ _ _ _ _ _ _
Moyen de transport

LOIR ISOLE
R _ _ _ _ _ _ _ _
Louis le Grand

COLLE RIEN
C _ _ _ _ _ _ _ _
Bête et homme de plumes

TAMPONNÉS
M _ _ _ _ _ _ _ _
Favorite du Roi

LES RIVALES
V _ _ _ _ _ _ _ _ _
Le plus beau des palais

La Grille...

HORIZONTALEMENT : I. Versailles lui doit tout. • **II.** Dans les décors. – Personnel féminin. • **III.** Le premier. – Le temps d'une révolution. – Lettres de Colbert. • **IV.** Pour avoir du poisson frais aux cuisines. • **V.** Vif et malicieux chez Louis. – Beau et bavard à la ménagerie. • **VI.** Colère de l'époque – Un parisien inconnu sous Louis XIV. • **VII.** Équipe la monture – Personel masculin. • **VIII.** Convenable. • **IX.** Tristounet. • **X.** Remplies de meubles, de peintures et surtout de glaces.

VERTICALEMENT : 1. L'homme de la guerre auprès de Louis XIV. – Dans la ménagerie. • **2.** Le carosse devait les éviter. • **3.** Vieille habitude. – Dans les cordes de Lully. • **4.** Relève en cuisine. – Rend l'épée dangereuse. • **5.** Dans les médecines de l'époque. – Lully lui donnait le beau rôle. • **6.** Romains. – Filet lumineux – Choix. • **7.** Point dans l'eau. – Rit en éclat. – Négation. • **8.** Tout le livre lui est consacré.

…du Château

Le roi Soleil

En 1667 LOUIS XIV décide de construire un observatoire à Paris. COLBERT commande alors les plans du bâtiment à l'architecte et physicien CLAUDE PERRAULT (le frère du conteur). Aujourd'hui, l'observatoire de Paris est le plus ancien des observatoires encore en activité.

Aide les savants, en donnant à chaque planète son numéro.

9

8

7

6

5

4

3

2

1

Jupiter : .....
Mars : .....
Mercure : .....
Neptune : .....
Pluton : .....
Saturne : .....
Terre : .....
Uranus : .....
Vénus : .....

Fables de La Fo

1. *La cigale et la* ....
2. *Le loup et l'* ....
3. *Le renard et la* ....
4. *Le lion et l* ....
5. *Le lièvre et l* ....
6. *Le corbeau et* ....
7. *Le chat, la belette et l* ....

A. *Rien ne sert de* ....
il faut partir à ....

B. *Apprenez que tout fl* ....
vit aux dépens de celui ....

C. *La raison du plu* ....
est toujours la m ....

En fouillant dans la corbeille du fabuliste on a retrouvé ce papier déchiré avec des titres de fables et des sentences.
Peux-tu compléter les titres et indiquer avec quelle fable va chaque sentence.

A	
B	
C	

C'est du Billard

Louis XIV

a deux distractions favorites, la chasse et le billard.

Presque chaque jour, entre sept et huit heures, le roi se rend au salon de Diane où est installé le billard. Le lieu est très recherché par la Cour.

Le jeu est à cette époque proche du croquet. Les joueurs poussent la boule avec une crosse.

Le roi est bon joueur, quand il est las il va s'installer à une table de jeux, baccara ou jeux de cartes. Les jeux de hasard sont interdits à Paris mais pas au Palais et, même la reine se laisse entraîner. On joue de grosses sommes d'argent, certains se ruinent, mais les courtisans préfèrent perdre devant le roi.

A toi de jouer !

Pour chaque boule (a, b) un seul bon coup pour atteindre son trou (A, B). Peux-tu le trouver ? Attention, la boule doit être frappée en son centre et **rebondir une fois sur une bande** de côté avant d'atteindre son but.

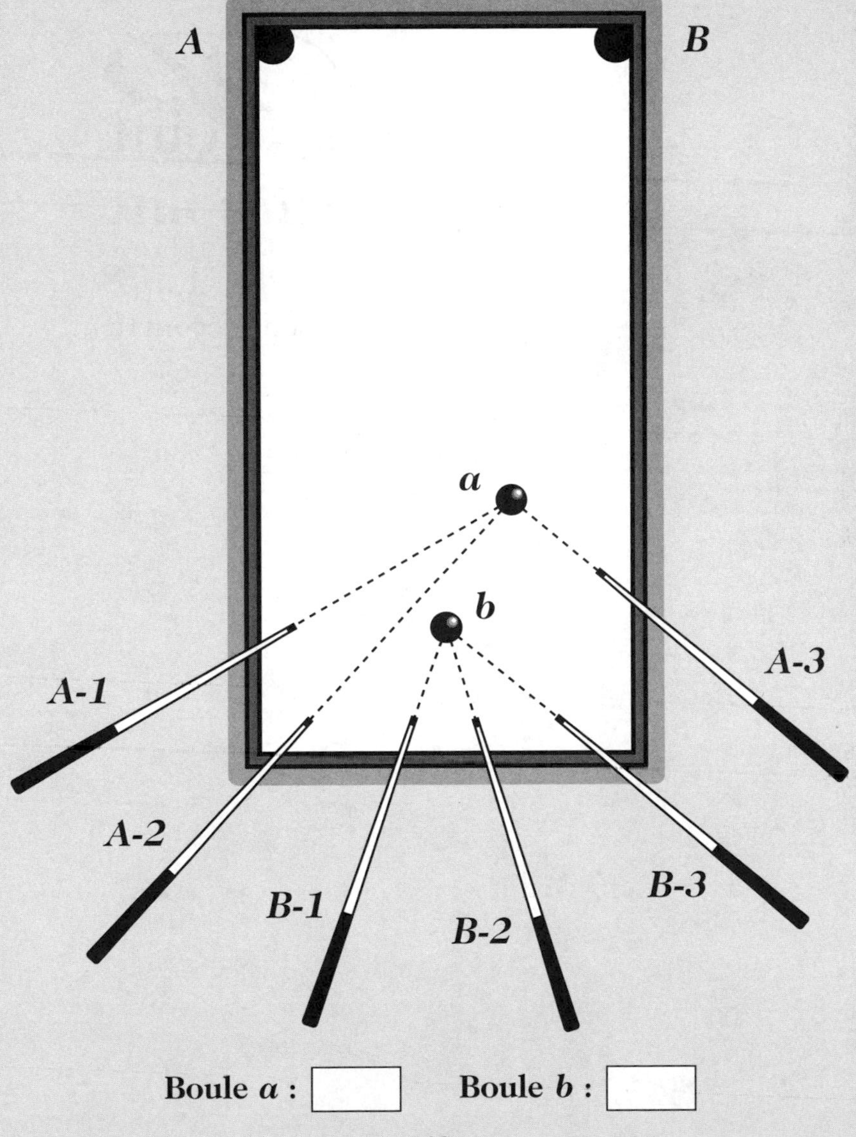

Boule *a* : ☐ **Boule *b* :** ☐

Point par point

Relie 1 à 78
pour découvrir…

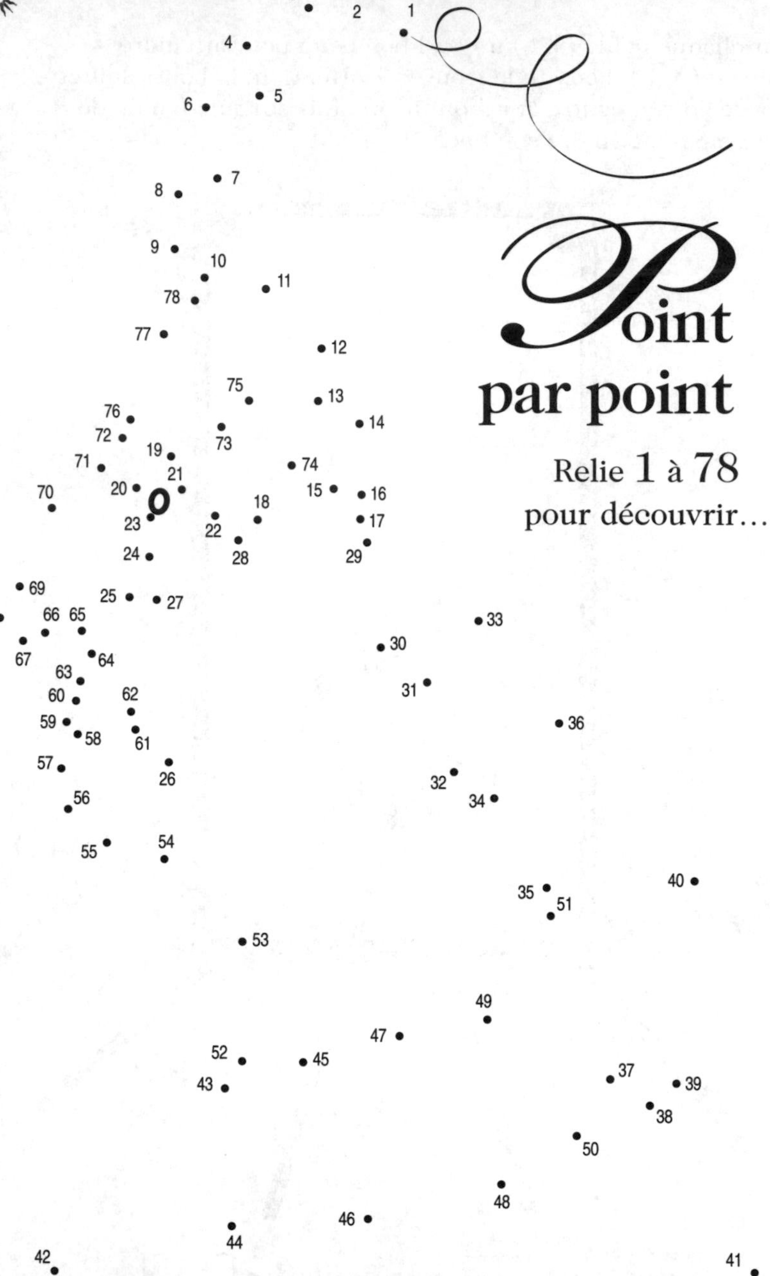

Le Bassin

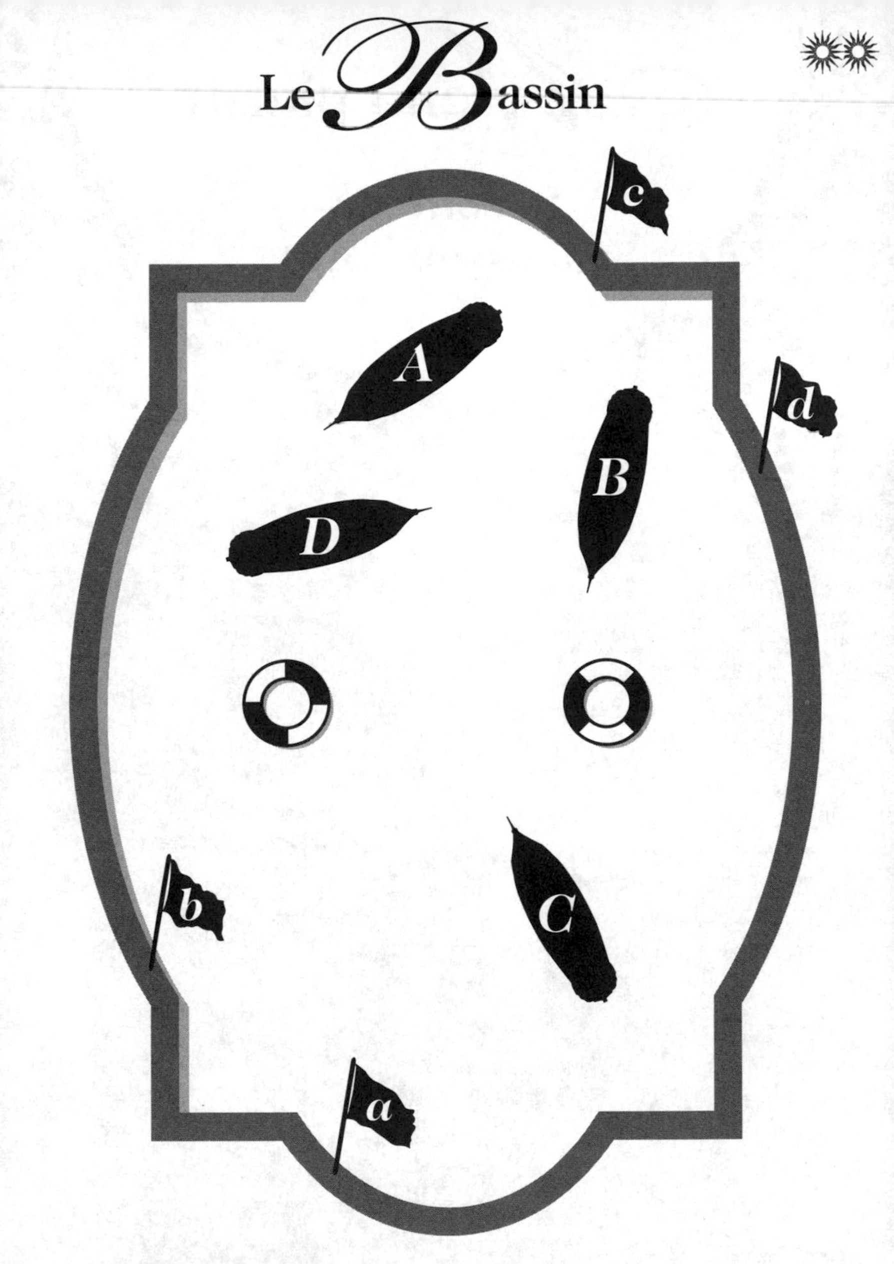

Les bateaux A, B, C, D doivent atteindre leur drapeau respectif. Pour cela ils doivent obligatoirement passer au centre du bassin entre les 2 bouées sans jamais se croiser. **Trace leurs parcours.**

Menu plaisir

Recette du chausson royal

INGRÉDIENTS (pour 4 personnes) :

- une pâte feuilletée toute prête (env. 28 cm)
- 2 grosses pommes
- 60 gr d'amandes effilées
- 1 cuillère à soupe de raisins secs
- 2 cuillères de sucre en poudre
- 1 noix de beurre

MATÉRIEL :

- poêle
- cuillère en bois
- four

PRÉPARATION :

- 25 minutes

CUISSON :

- entre 20 et 30 minutes

• Épluche et coupe les pommes en petits cubes d'environ 1 cm. Fais chauffer le beurre dans la poêle, mets les pommes pendant 5 minutes, remue avec la cuillère en bois (*fig. 1*). Maintenant tu peux mettre les amandes et le sucre. Bien mélanger pendant encore 5 minutes. Fais attention, car si l'ensemble doit caraméliser il ne doit pas brûler. Retire du feu et laisse refroidir.

• Maintenant tu peux allumer le four – thermostat 7.5 – en n'oubliant pas de retirer la plaque.

• Sors la pâte et déroule-la
sur sa feuille de papier.
Verse la préparation de pommes,
d'amandes et de raisins secs
sur la moitié de la pâte
en prenant soin de ne pas
en mettre sur le bord (*fig. 2*).

• Replie la pâte en deux pour
former un gros chausson (*fig. 3*).
Attention la pâte est fragile.
Appuie bien sur le bord arrondi
pour fermer le chausson. A l'aide
d'un couteau pointu ou d'une
fourchette trace un quadrillage
et marque la bordure.

• Pose le chausson sur la plaque
du four en laissant le papier
dessous. Pendant la cuisson
surveille le chausson, il doit
prendre une belle couleur dorée
mais ne pas brûler.

• Une fois cuit le chausson peut
se manger froid ou tiède (*fig. 4*).
Dans ce cas il est encore
meilleur.

Alors, bon appétit !

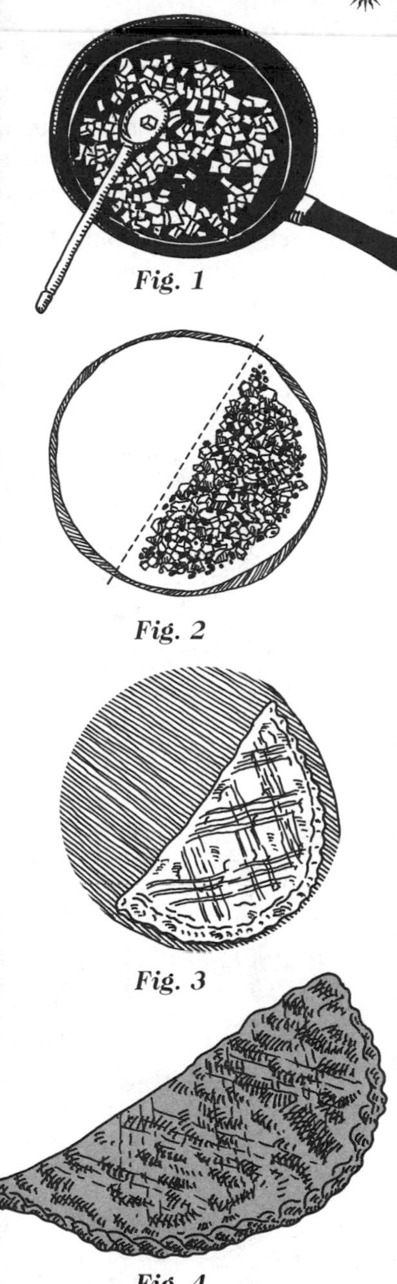

Fig. 1

Fig. 2

Fig. 3

Fig. 4

La Ménagerie

Le Vau avait construit pour Louis XIV une ménagerie, aujourd'hui disparue, à l'opposé du Trianon. On y trouvait de nombreuses espèces d'oiseaux et d'animaux exotiques.

Remets de l'ordre dans la ménagerie en reliant les animaux et leur cri.

Il était un petit Navire

TOURVILLE, JEAN BART, DUGUAY-TROUIN… étaient corsaires, chef d'escadre, commandant ou Maréchal de France, ils furent de grands marins et leurs exploits sur mer sont restés célèbres.

Ces trois marins jouent au bord du Grand Canal, mais lequel tient le bateau au bout de sa ficelle ?

C'est du Propre !

A toutes les époques des personnalités ont donné leur nom à leur invention, à leur découverte et même à des plantes. Parfois, après leur disparition, l'usage a perpétué le nom. Par exemple, on doit à **Jean Nicot** ce poison qu'est la **nicotine**, c'est lui qui introduit en France le tabac appelé à l'époque *herbe à Nicot*.

Parmi ces dix noms communs coche ceux qui doivent réellement leur origine à une personne.

❑ *BÉGONIA*

MICHEL BÉGON, cousin de Colbert, intendant général de Saint Domingue. Le botaniste Plumier lui rendit hommage en donnant le nom de *bégonia* à cette fleur d'Amérique tropicale.

❑ *SILHOUETTE*

ÉTIENNE DE SILHOUETTE, Contrôleur général des Finances de Louis XV. Il devint vite impopulaire. Son nom fut d'abord donné aux caricatures le représentant puis aux dessins à peine esquissés.

❑ *CONFETTI*

GIULIO CONFETTUS, comédien italien, marié à la sœur de Molière. A la fin de chaque représentation il lançait sur le public des petits bouts de papiers de couleurs.

❑ *BRUYÈRE*

JEAN DE LA BRUYÈRE, moraliste et écrivain. Il se promenait toujours à Versailles avec à sa boutonnière un brin de «*fleur de saint Jean*». Madame de Sévigné la première donna le nom de *bruyère* à cette plante en hommage à son ami.

❑ *MONTGOLFIÈRE*

Joseph et Étienne de Montgolfier, deux frères qui exploitaient une manufacture de papier, inventèrent le premier ballon à air chaud. En 1783 à Versailles devant Louis XVI, une *montgolfière* s'éleva dans les airs.

❑ *BROUETTE*

Claude Brouet, aide jardinier au «potager du roi», eut le premier l'idée de mettre une roue au grand panier en osier qui servait aux travaux du jardin. Il est un des rares roturiers à avoir laissé son nom à un objet usuel.

❑ *MANSARDE*

François Mansart, architecte, n'est pas l'inventeur de la *mansarde*, cependant c'est lui qui a popularisé l'aménagement des combles, sous les toits, dans ses constructions.

❑ *MARMELADE*

Jeanne Melade, cuisinière chez Madame de Pompadour. Elle faisait d'exellentes compotes d'abricots et de fraises et ouvrit une boutique à Versailles en 1750 à l'enseigne «*Les gourmandises de la Mère Melade*».

❑ *BILLARD*

Pierre Billot de la Canne, ébéniste à Paris, transposa un jeu de plein air, le croquet, à la dimension d'une table (le tapis vert vient de là). Ce jeu fit fureur à la Cour et très vite on dit «jouer au *billard*». En 1688 Louis XIV anoblit Pierre Billot.

❑ *PRALINE*

César duc de Choiseul comte du Plessis Praslin. Son cuisinier inventa cette confiserie faite d'amandes rissolées dans du sucre. D'abord appelé *amande à la praline*, le bonbon prit le nom de *praline* en 1680.

Les Mots...

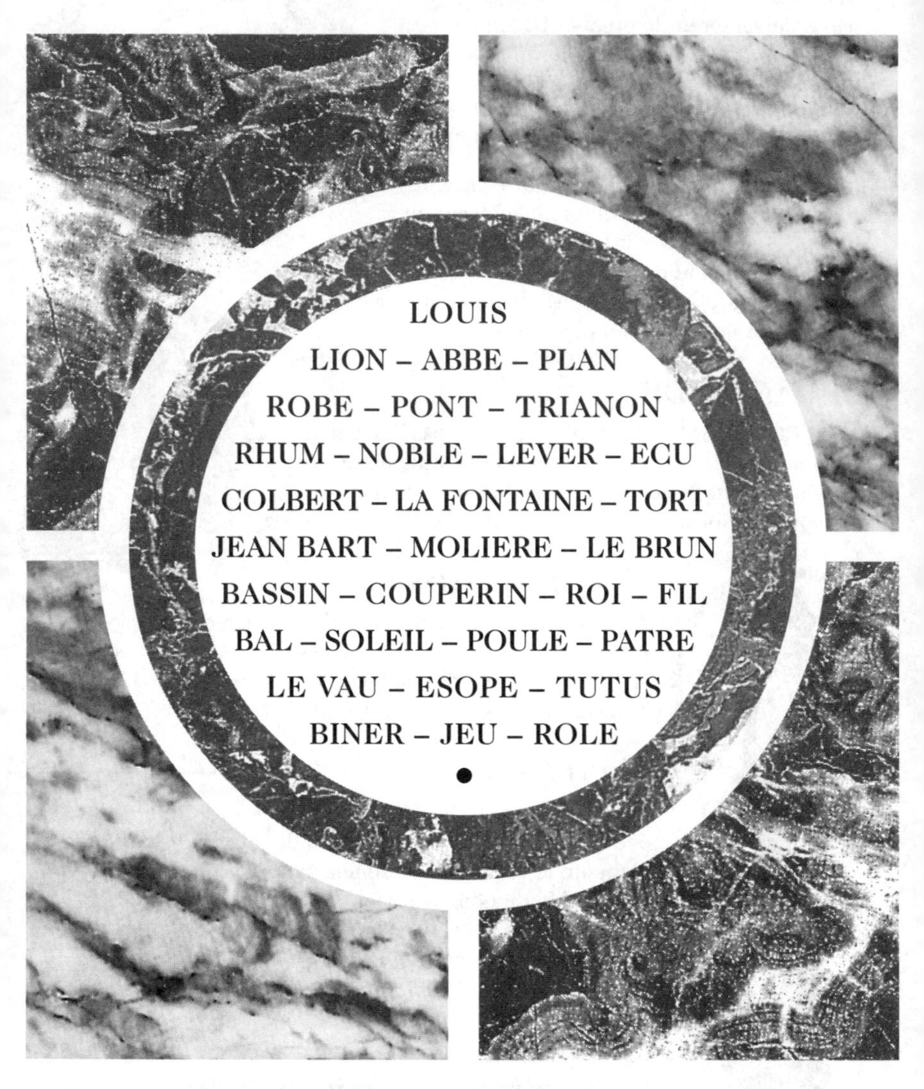

Tous ces mots se retrouvent dans le cadre de la page suivante. Ils se lisent de gauche à droite, de droite à gauche, de haut en bas et de bas en haut. Quand tu les auras tous rayés il te restera cinq lettres qui te donneront le nom du siège royal.

dans le Marbre

....

A la Française

Le plan de ce parterre n'est pas terminé. En t'aidant de la symétrie tu peux redessiner la partie effacée. Tu peux, bien-sûr mettre de la couleur.

Aux Gobelins

Avec tes crayons,
tes feutres ou à la peinture,
colorie le dessin dans
l'esprit de la tapisserie.

N'oublie pas, les talons
des chaussures
doivent être rouges.

Les Bourbons...

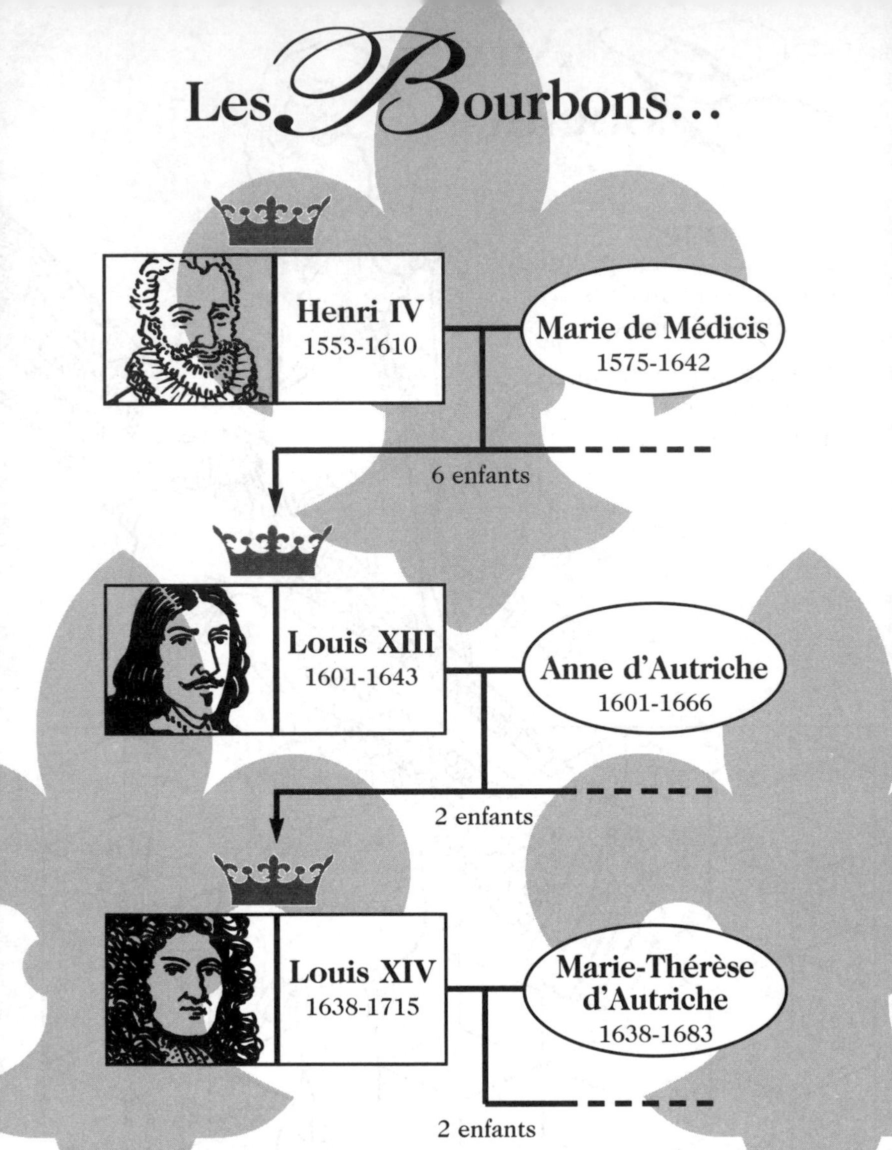

Les Bourbons :

Henri, roi de Navarre devient roi de France en 1589 sous le nom de Henri IV. Avec lui, naissait la branche des Bourbons. De Henri IV sont issus sept rois de France, le dernier étant Charles X. Louis XIV, fils de Louis XIII, est le petit fils de Henri IV et l'arrière grand-père de Louis XV.

...et les ....

Indique ici le nom de ta famille

4

3

2

La branche paternelle

1

La branche maternelle

Fais ton arbre généalogique :

en remontant dans les branches écris

1- ton prénom

2- celui de tes parents

3- de tes grands-parents

4- de tes arrière-grands-parents.

Tu peux créer et dessiner dans le blason les armes de ta famille

Solutions

Pages 10/11 • Côté cour

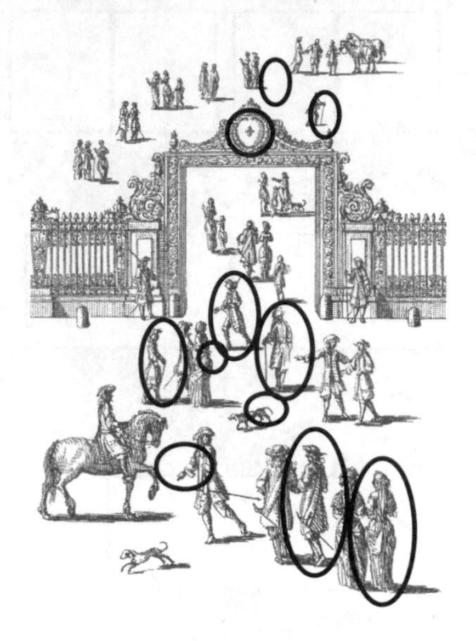

Pages 12/13 • Rois et reines

- ♥ Marie-Thérèse / Louis XIV
- ♠ Marie-Antoinette / Louis XVI
- ♦ Marie Leszczynska / Louis XV
- ♣ Anne d'Autriche / Louis XIII

Page 14 • Le potager du Roi

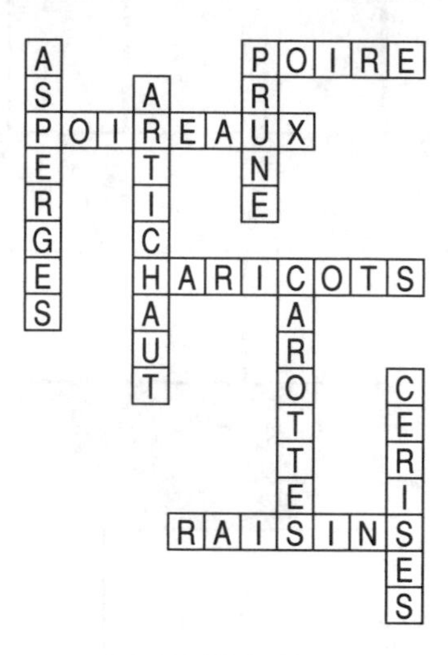

Page 15 • Les cris de la ferme

Le paon criaille
La poule glousse
Le poussin piaille
Le dindon glougloute
Le canard nasille
Le pigeon roucoule

Pages 16/17 • Dans les allées et dans les bois

Châtaignier : D - 2
Chêne : A - 4
Marronnier : C - 3
Tilleul : B - 1

Pages 18/19 • Le lampion du parc

Page 21 • Triste sire

Page 20 • Rébus

1.

Deux MAINS - RAT - SCIE - NŒUD

I - RAT - DENT - UN - QUART - OS

Deux VERRES - S' - AIL - A - SINGE - R - MAIN

= *Demain Racine ira dans un carrosse de Versailles à Saint Germain*

2.

LOUIS - dix NŒUDS (sous les) O rangés

= *Louis dine sous les orangers*

Page 22 • Vrai ou faux ?

1. **Faux.** Le roi est mort à 77 ans
2. **Vrai.**
3. **Faux.** Il fut construit pour Madame de Pompadour
4. **Faux.** Il est l'arrière petit fils
5. **Vrai.** Venise les offrit au Roi en 1673
6. **Vrai.** Après la mort de la reine
7. **Faux.** Il était écrivain
8. **Vrai.** Mais la fourchette existait déjà
9. **Faux.** Il est le créateur des jardins
10. **Vrai.** Par élégance et pour se grandir, il aimait les talons rouges
11. **Faux.** Il y en eu beaucoup au contraire
12. **Vrai.** Louis XIV était un excellent musicien

Page 23 • La pièce manquante

N°4

Solutions

Pages 24/25 • Le message des mousquetaires

1 = CE SOIR IL FAUT ARRÊTER FOUQUET À LA SORTIE DU CONSEIL DES MINISTRES
2 = Sire • message reçu le nécessaire sera fait selon vos ordres • votre dévoué D'Artagnan •

Page 26 • Autour du Roi

Ne sont pas à leur place :
Architectes, LE CORBUSIER
Peintres, BRAQUE
Musiciens, BOULEZ
Jardiniers, COFFE
Écrivains, PROUST
Sculpteurs, CÉSAR

Page 27 • Jardin secret

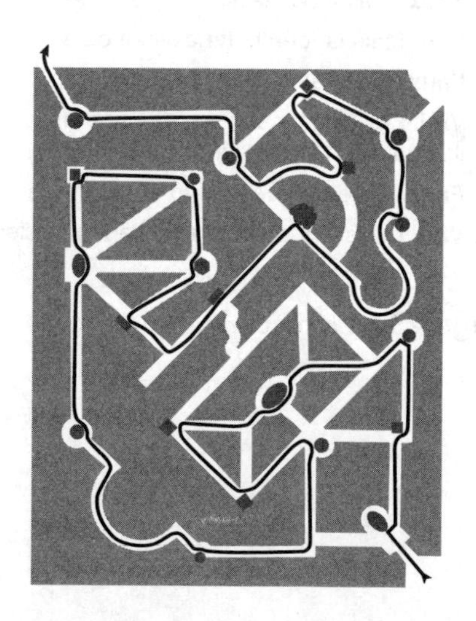

Pages 28/29 • Chacun son style

A.

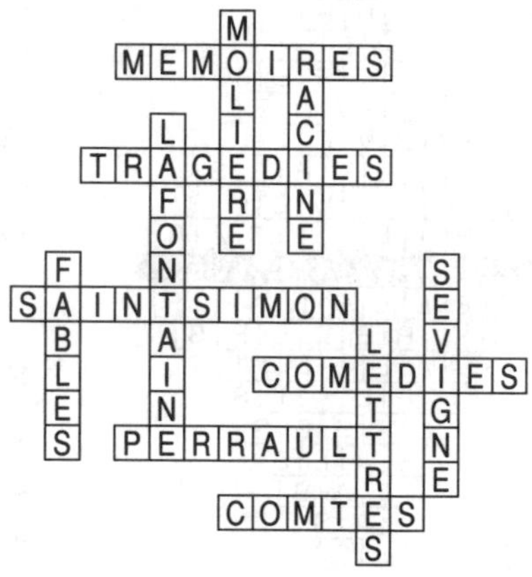

B.

Comédies → 1 (Molière)
Fables → 3 (La Fontaine)
Tragédies → 2 (Racine)
Lettres → 6 (Mme de Sévigné)
Mémoires → 4 (Saint Simon)
Contes → 5 (Perrault)

Page 30 • Dans un fauteuil

Louis XIII = **A**
Louis XIV = **D**
Louis XV = **C**
Louis XVI = **B**

Page 31 • La galerie des Glaces

N° 3

Page 32 • Diane, Blonde, Zette

A 5 – B 1 – C 2 – D 4 – E 3

Page 34 • Promenade littéraire

...La fontaine... = **La Fontaine**
... beau suer... = **Bossuet**
... corneilles... = **Corneille**
... molle hier...= **Molière**
... racines... = **Racine**
... la bruyère... = **La Bruyère**
... bois l'eau... = **Boileau**
... père aux... = **Perrault**.

Page 35 • Si Versailles m'était compté

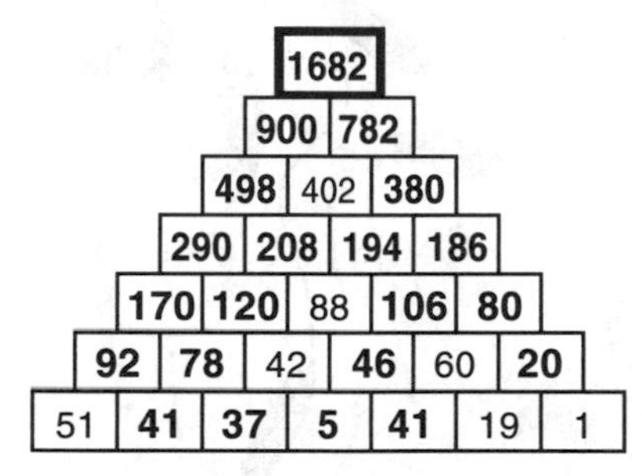

Louis XIV s'est installé à Versailles en **1682.**

Page 36 • Les ifs chez le coiffeur

1 D – 2 C – 3 F – 4 E – 5 B – 6 A

Page 37 • Pic et pic

Anagrammes :
RICANE = RACINE
CROASSER = CARROSSE
COLLE RIEN = CORNEILLE
AMNISTIONS = SAINT-SIMON
LOIR ISOLÉ = ROI SOLEIL
TAMPONNÉS = MONTESPAN
LES RIVALES = VERSAILLES

Pages 38/39• La grille du château

L	O	U	I	S	X	I	V
O	R	S		E	L	L	E
U	N		A	N		E	R
V	I	V	I	E	R		S
O	E	I	L		A	R	A
I	R	E		T	I	T	I
S	E	L	L	E		I	L
	S	E	A	N	T		L
A			M	O	R	N	E
G	A	L	E	R	I	E	S

Page 40 • Le roi Soleil

Les planètes :
1. Mercure – 2. Vénus – 3. Terre –
4. Mars – 5. Jupiter – 6. Saturne –
7. Uranus – 8. Neptune – 9. Pluton

Solutions

Page 41 • Fables de La F…

1. La cigale et la fourmi
2. Le loup et l'agneau
3. Le renard et la cigogne
4. Le lion et le rat
5. Le lièvre et la tortue
6. Le corbeau et le renard
7. Le chat, la belette et le petit lapin

A. Rien ne sert de courir, il faut partir à point

B. Apprenez que tout flatteur vit aux dépens de celui qui l'écoute

C. La raison du plus fort est toujours la meilleure

A 5 – B 6 – C 2

Pages 42/43 • C'est du billard

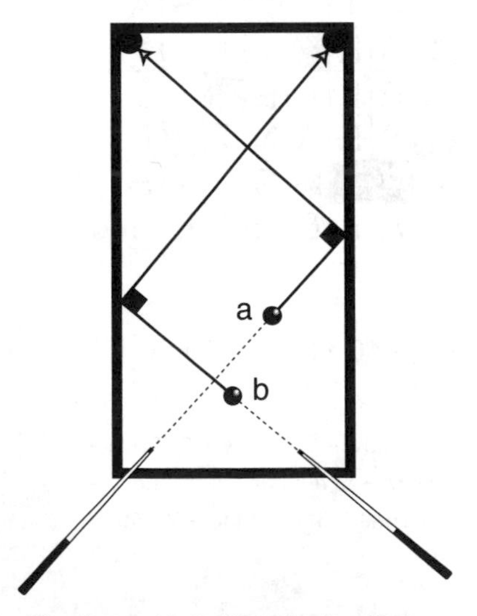

Boule a : A-2 / Boule b : B-3

Page 44 • Point par point

Page 45 • Le bassin

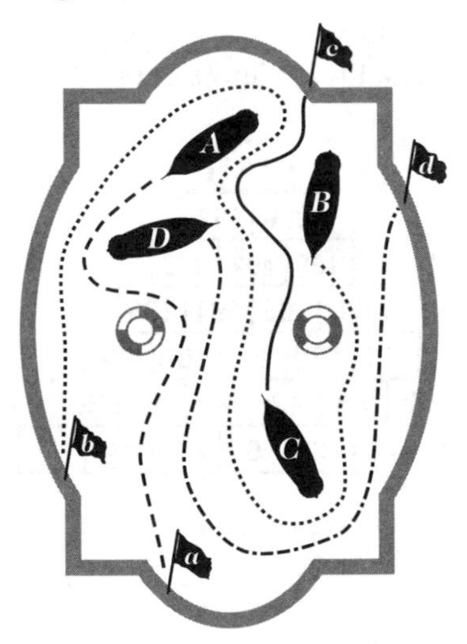

Page 48 • La ménagerie

L'éléphant barrit – Le lion rugit
L'échasse pépie – Le crocodile vagit
Le chameau blatère – L'ours gronde

Page 49 • Il était un petit navire

Le bateau est au bout de la ficelle du marin A

Pages 50/51 • C'est du propre

- Michel Bégon a bien donné son nom aux **bégonias**.
- C'est bien involontairement qu'Étienne de **Silhouette** est passé à la postérité, mais le personnage était si impopulaire que des caricatures le représentant circulaient dans le tout-Paris.
- Le mot **confetti** vient de l'italien, c'est le pluriel de confetto, «dragée».
- Rien de commun entre la fleur **bruyère** et l'écrivain, la *fleur de saint Jean* n'existe pas.
- La **montgolfière** a été construite par les frères De Montgolfier... ils peuvent en être fiers.
- A l'origine la **brouette** avait deux roues, mais elle ne doit rien à Monsieur Brouet.
- C'est l'architecte François Mansart qui a donné son nom aux **mansardes**.
- Le mot **marmelade**, connu depuis le début du XVIIe siècle, vient du portugais.
- Le **billard** doit son nom à la bille (madrier), la crosse qui servait à pousser la boule et rien à Monsieur Billot.
- Le comte était-il gourmand ? En tout cas, la **praline** vient bien de son nom Praslin.

Pages 52/53 • Les mots dans le marbre

TRONE

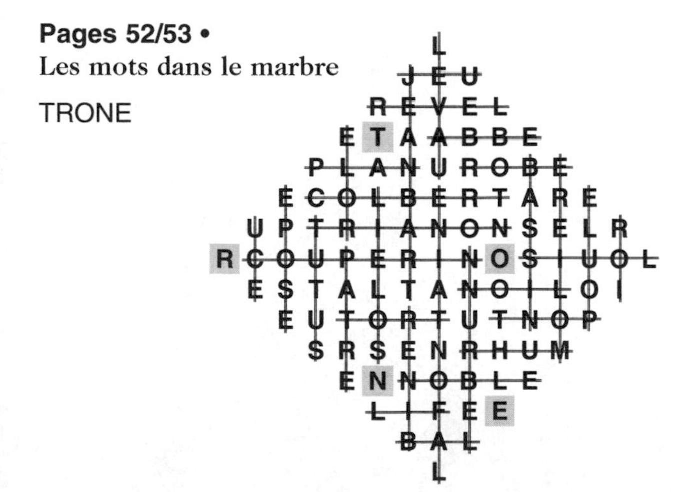

Publication du département de l'édition
dirigé par Béatrice Foulon

Coordination éditoriale
Marie-Dominique de Teneuille

Fabrication
Jacques Venelli

Conception graphique et maquette
Jack Garnier

Le flashage a été réalisé par Bussière, Paris

Cet ouvrage a été achevé d'imprimer
en octobre 1999 sur les presses
de l'imprimerie Mussot, Paris

Le façonnage a été réalisé par la Générale
de brochure reliure, Chevilly-Larue

Dépôt légal: octobre 1999
ISBN: 2-7118-3946-X
JT 00 3946